Encore !

– Pour Ella Rose Kennedy
et Teddy Traynor… encore.
                            I. W.

– Pour Catherine et Oscar.
                            S. B.

L'édition originale de cet ouvrage a été publiée en 2004
en Grande-Bretagne par Orchard Books, sous le titre : AGAIN !
Text © Ian Whybrow 2004
Illustrations © Sebastien Braun 2004
The rights of Ian Whybrow to be identified as the author and Sebastien Braun
to be identified as the illustrator of this work as been asserted by them
in accordance with the Copyright, Designs and Patents Act, 1988.

Pour l'édition française :
© Père Castor Éditions Flammarion, 2005
Éditions Flammarion (n°3069)–ISBN : 2-08163069-9
26, rue Racine – 75278 Paris Cedex 06
www.editions.flammarion.com
Imprimé à Singapore – 04-2005
Dépôt légal : septembre 2005
Published by arrangement with Orchard Books, Great-Britain
Loi n°49-956 du 16 juillet 1949 sur les publications destinées
à la jeunesse.

Encore !

Ian Whybrow

Illustrations de Sébastien Braun

Texte français de Dominique Mathieu

Père Castor ■ Flammarion

Dans une clairière de la forêt,
Papa Ours et Petit Ours
apportent un tas de livres
pour les lire au clair de lune.

Zoé descend de branche en branche.
– Venez entendre une belle histoire,
dit-elle aux abeilles qui dansent
autour du pot de miel.

Le premier livre est tellement drôle,
c'est le plus rigolo qu'on ait jamais lu !
Zoé roule au sol et rit jusqu'aux larmes.

Nestor quitte son barrage
et traverse la rivière.
Arrivé sur la berge,
il se secoue, hume le vent
et dresse les oreilles…

– Encore !
Encore !
réclament les oursons à tue-tête.

Alors Papa Ours lit une histoire de monstres :
un dinosaure géant y sème la terreur !
Zoé et Nestor marchent à pas lourds,

boum,

boum,

boum,

et Petit Ours rugit…

gRRAOUWAH!

– **Encore ! Encore !**
s'exclament les trois amis.

– **Encore ! Encore !**
hurlent-ils plus fort.

Derrière son tas de feuilles,
Spic dresse la tête et s'étonne :
– C'est quoi, tout ce bruit ?

Le livre suivant parle
de constructions, de grues
et de camions.
Les quatre amis font

vroom, **vroom,**
vroom.

Puis de nouveau, ils s'écrient :

– Encore !

D'autres copains se joignent à la fête...

Mouffette,

Panache,

Tatou,

Roussette,

Lou,

Chouette
et Félix.

Tamia,

Quand l'histoire est triste,
chacun renifle doucement.

Quand passe le train, on marche
à la queue leu leu.

Quand surgissent des fantômes,
c'est à celui qui fera le plus peur :

– Attention ! Là ! Derrière toi !

Et quand c'est fini,
tous les amis réclament :

– **Encore !**

Mais Maman Ours appelle :
– C'est l'heure du dodo,
Petit Ours !

Elle le borde dans son lit
et lui demande :
– Est-ce que tu as aimé lire
avec Papa ?
– Oh ! oui. Beaucoup !
soupire l'ourson.

Encore.

Encore.

Encore.

Encore.

Bientôt, les animaux s'endorment,
et le silence tombe sur la forêt.
Et tandis qu'ils rêvent d'aventures,
ils sourient et murmurent :

Encore.

Encore.

Encore.

Encore.